The CHRISTMAS STORY

LARGE PRINT

LUKE 2:8-14

There were shepherds in the __same cou__... __staying__ in the __field__, and __keeping wat__... __night__ over their __flock__. Behold, an __ange__... Lord __stood__ by them, and the __glory__ of... __shone__ around them, and they were t...

The angel said to them, "Don't be... for __behold__, I bring you __good news__ o... which will be to all the peop... For there is __born__ to you __today__, in D... a Savior, who is __Christ__ the... This is the __sign__ to you: you will... __wrapped__ in __strips__ of __cloth__, lyin... __trough__." __Suddenly__, there was... a multitude of the heavenly a... God, and __sayin__...

"__Glory__ to God in the... on __earth__ __peace__, __good w__...

BABY JESUS

```
F L A I D I N M A N G E L
O W D Q W E K I C W X
R Y Y N T H G L C K
E L B A T S N I N R
T G E F R T X M U J
O F J U B A F G X N
L P R I N C E O F
D E M F U L L Y G
M O C O M F O R T
R A G C G L D D V
V L J Y U S A X
U K J R T C B X
H M F O D H B
D U Y T Y Z G
N I L L Y L N
U U T Z J O F
```

FORETOLD
LAMB OF GOD
COMFORTER
COUNSELOR
MIGHTY GOD

ISAIAH 9:6

```
S S K G I V L G P N C B M C I E
O H H I Z D I O E C H V O S M V
N U O V Q R L V A C I T Z R D E
T A D E L Z S E C N L Z X E N R
X J M N I S R E Y D R F Z N
F P E E K S Y N O S C B Z L
B B Z F B M J M T L Z W P U
L U Z F K C S E N T E S Q O
U L S W A P D N U T B S E
F X S L C R Y T H G I M N
R A L V Y I D G F R F R
E E T Q V N E E I G O I
D P G H J C X R P S V N
N R B K E E L P H N A
O I P P S R Y U P L I
W O C N V V M T E C U W
```

For a __child__ is __born__ to us. A __son__ is __given__... and the __government__ will be on his __shoulde__... __name__ will be __called__ Wonderful Counselo... __Mighty God__, __Everlasting Father__... __Prince__ of __Peace__.

Puzzle Favorites

BIBLE WORD SEARCH

ENJOY THESE GREAT TITLES AND MORE BY PUZZLE FAVORITES

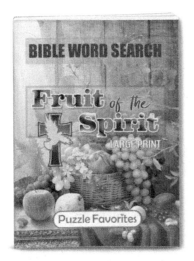

ISBN: 978-1947676190
Amazon: 1947676199

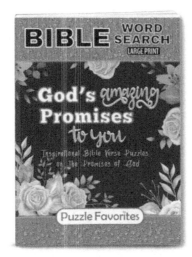

ISBN: 978-1947676442
Amazon: 194767644X

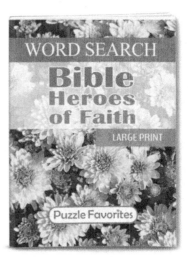

ISBN: 978-1983502743
Amazon: 198350274X

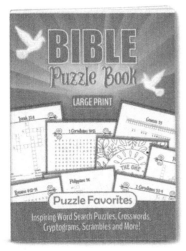

ISBN: 978-1947676527
Amazon: 1947676520

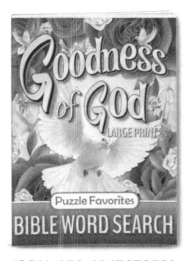

ISBN: 978-1947676589
Amazon: 194767658X

ISBN: 978-1947676497
Amazon: 1947676490

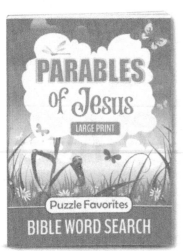

ISBN: 978-1947676398
Amazon: 1947676393

ISBN: 978-1947676381
Amazon: 1947676385

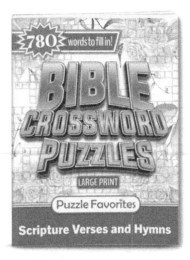

ISBN: 978-1947676596
Amazon: 1947676598

FOR THERE IS
BORN TO YOU TODAY,
IN DAVID'S CITY,
A SAVIOR,
WHO IS CHRIST THE LORD.

"GLORY TO GOD IN THE HIGHEST,
ON EARTH PEACE,
GOOD WILL TOWARD MEN."

Table of Contents

Stable Animals.......................... 5

Wise Men 6

Shepherds 7

Angels We Have Heard on High. 8

O Little Town of Bethlehem 10

The Star 12

Mary and Joseph 13

Away in a Manger.................... 14

The First Noel 16

Nativity Scene........................ 18

Angels.................................. 19

O Come, All Ye Faithful............ 20

Nazareth............................... 22

Flight to Egypt 23

Hark, the Herald Angels Sing... 24

Joy to the World 26

Locations 28

Bethlehem............................. 27

O Come, O Come Immanuel.... 30

Christmas Hymns..................... 32

Baby Jesus 33

Genealogy of Christ Part 1....... 34

Genealogy of Christ Part 2....... 36

1st Century Life 38

Messianic Prophecies 39

Isaiah 9:6.............................. 40

Micah 5:2 41

Isaiah 7:14-15 42

Christmas Pageant 43

Luke 1:26-33 44

Luke 1:34-38 46

Luke 2:1-7 48

Luke 2:8-14 50

Luke 2:15-20 52

Luke 2:25-33 54

Luke 2:36-40 56

Matthew 1:18-21 58

Matthew 1:22-25 60

Matthew 2:1-6 62

Matthew 2:7-12 64

Matthew 2:13-16 66

Matthew 2:19-23 68

O Holy Night.......................... 70

Silent Night 72

Gifts of the Magi 74

Christmas Traditions............... 75

Celebrating Christ 76

Answer Key 77

Stable Animals

```
D W F H K J V W Y W C Z Q F E F
O O T H L H E C L M U A Q T I F
W P N X N V W M S S X U M E K W
W D U K O K D U A X S F M E K L
T N T Q E M Q C G S H E E P L C
D D K H S Y V O X E N L A J R S
D O U F O I S A C I F T K V S F
H I V L B Z F E E H R T T U Q B
R E D E K Z A O A O C A S E W K
N R H H S F G N S R W C V S B W
M U L E S R W T U S E M W L A L
Y H I Y F V A L V E E O E E Q H
F O S N W O J N N S C C E V C G
S C F J G O Q R S X C E S C M U
K J S R L O L H C R Q C M Y W D
N V Y C J Q U Q N Y O H M O U T
```

OXEN   SHEEP
COWS   GOATS
CAMELS   DOVES
DONKEYS   CATTLE
HORSES   MULES

Solution on page 77

Wise Men

```
Q D I P M I R M O K Y T N U O O
A T P D A Y U F K W S Y D R H S
D X L Y G Z V Z N A M G T R E K
A O G V I L S R E L E V A R T P
G E E N J E D E M E H J X A U F
E Y B Z J Q H M E Y R V C I H B
P K O T Z T R O S K I Y N T I Y
R T T S M L R B I M L N N G I B
O W F O Y Q Y N W I L B X B T O
P P R Y L J M A S T R O L O G Y
H F P E R S I A O R I R A N W F
E K I Q K X S G G U Q W T N E F
C R C J M S L E H H B R A Z V C
Y A C R I V A L L H F J G O V F
D O O N Y W B X E T G A J J F S
F R A N K I N C E N S E H K R P
```

MAGI	FRANKINCENSE
FROM THE EAST	MYRRH
WISE MEN	TRAVELERS
ASTROLOGY	PROPHECY
GOLD	PERSIA OR IRAN

Solution on page 77

SHEPHERDS

```
U V T X T F Q H R O D N S P K A
H Y V E R C T E P F Q W E I V C
S H E P H E R D B O Y E D Y Y X
F W M P R Q Y R A V H V D I O O
A I B J E P V B A S D L E I F P
P E A S A N T S L E W S O X F D
N I O U F D S I U I D H O S A K
S J T C I I A L U V T E C O T U
H K U M A T M T I J U E X I S G
M O N J T K F A N X P V L F O
C S G A N W O U L C G F K L U A
U N F V J I I R O V J O P V A T
H N V H E R D S C Z J L P T E S
T J C H B F M Q K F O D S N X S
T Z N B X R G A S B P G S Z Z A
P L M Q H A L K N S H E E P H C
```

SHEEP	SHEPHERD BOY
GOATS	PEASANTS
FIELDS	ROD
HERDS	STAFF
FLOCKS	SLING
FAT TAIL SHEEP	SHEEPFOLD

ANGELS WE HAVE HEARD ON HIGH

Angels we have **heard** on **high**,
singing **sweetly** o'er the **plain**
and the **mountains** in **reply**
echoing their **joyous** **strains**

Gloria in **excelsis** Deo,
gloria in excelsis Deo.

Shepherds, why this **jubilee**?
Why your **joyous** **strains** **prolong**?
What the **gladsome** **tidings** be
Which **inspire** your **heav'nly** **song**?

Come to **Bethlehem** and see
him whose **birth** the angels **sing**.
Come, **adore** on **bended** **knee**
Christ the Lord, the **newborn** **King**.

```
P P G G N I K H M Q B B A B P B
K R N U Z R F K E E N K C I B B
P I O X X Y L N V A E H V R Z G
S L S L I V S N I A R T S T P H
T B A I O G L O R I A D A H F C
I E S I S N E I S I S L E C X E
D T W S N R G T B U K S E E S T
I H E H I O N G J J N W L O I A
N L E E A B A U L I H G I H N B
G E T P T W X Y A A N U B Q G I
S H L H N E O R S I D N U U I N
U E Y E U N T U O Q E S J C N S
O M F R O S O H S Z D C O K G P
Y G R D M Y C A U T N M Z M J I
O Z B S O E A D O R E T E H E R
J A Q J R R E P L Y B R B I V E
```

O Little Town of Bethlehem

O **little** **town** of **Bethlehem**,
how **still** we see **thee** lie!
Above thy **deep** and **dreamless** **sleep**
the **silent** **stars** go by.
Yet in thy **dark** streets **shineth**
the **everlasting** **light**;
the **hopes** and **fears** of all the **years**
are met in thee **tonight**.

For **Christ** is born of Mary,
and **gathered** all above,
while **mortals** **sleep**, the **angels** keep
their **watch** of **wond'ring** **love**.
O **morning** stars, **together**
proclaim the holy **birth**!
And **praises** sing—let "**Glory**!" ring
with **peace** to all on **earth**!

```
P V N P L E K D E A R T H F E G
J J E L L P E E L S U P A E N F
H E I T S R Y Q S L W B H I E T
D T T R E V O L E P O T N G S F
S I A H C T A W V V R R A I G E
L T T K G Y U W E D O A R L S A
S A H R S I O O R M A H I E B R
G B G N S V L N L P C R P S M S
S H I N E T H D A R E O K G E F
S T N E L I S R S E H A L T H S
L R O F M H Z I T G A O C U E L
E I T X A O K N I V R F O E L A
E B N C E Z Z G N Y E A R S H T
P V H Z R J V R G A B S Q I T R
T O W N D P R O C L A I M H E O
T O G E T H E R A N G E L S B M
```

The Star

```
D N H Y D E P B B J L Z V H W J
V T T V L U G G T D E P P O T S
D E H I Q I N V L Y D Z A F W A
K K B R F A J Q H I W U Y J O D
B O P U Q C I E B J I J C R N H
M H O G Y B A R V H S Q N S U A
J J E O F V I W C V E J J U V N
G T J T E G W D J X M X M O R I
H T E N H Y M D S H E Z N L R K
M Y S T E R I O U S N R S U B E
C O M E T J R G Q C E W L C H H
P L A N E T S N S P H G N A E S
M B X M J T A D U B P Z Q R T T
J O K S O S A S C Q M G A I L E
S T E L L A R E V E N T D M P L
X L H R Q K N H Y A G Q Q R L D
```

STELLAR EVENT	COMET
BRIGHT	PLANETS
MOBILE	MYSTERIOUS
SHEKINAH	LED WISE MEN
MIRACULOUS	STOPPED
SUPERNOVA	HEAVENS

MARY AND JOSEPH

```
V D K C V Z D A N U D H D N Y W
M E H U O N I B V Y J O H S A Z
V H N G A V V E D M P B K D K D
G J I B R T A T F M T J M E O Q
G O S H V W D R U I W U C G Z A
S U M P A H F O J M W H D L U D
H K I M Q R O T V U Z E Q M Q R
H S N I P V E H F P Y A K F R Y
B S F K X F N E T E W C E Z J G
C A A D I O I D B B V H I T B W
M F E C Z C L O V V P D P O T H
W V F N J E W I S H F A M I L Y
O Y J S E P W C R P A T J M I B
M A R R I A G E T O R Z F W O L
N X K P P H E Z C V F C M T A O
P A R E N T S T O J E S U S F X
```

BETROTHED	OBEYED GOD
MARRIAGE	PARENTS TO JESUS
HUSBAND	JEWISH FAMILY
WIFE	LINE OF DAVID

AWAY IN A MANGER

Away in a **manger**, no **crib** for a **bed**,
the **little** Lord **Jesus** laid down his **sweet head**.
The **stars** in the **sky**
looked down where he lay,
the little Lord Jesus **asleep** on the **hay**.

The **cattle** are **lowing**, the **baby awakes**,
but little Lord Jesus no **crying** he **makes**.
I **love thee**, Lord Jesus!
Look down from the **sky**,
and **stay** by my side until **morning** is **nigh**.

Be **near** me, Lord Jesus, I ask thee to stay
close by me **forever**, and love me, I pray.
Bless all the dear **children** in thy **tender care**,
and fit us for **heaven** to **live** with thee there.

```
C A S L E E P U L M B L C L S R
B L E S S X E D S W I G W R T K
A W A K E S E R J T R E G N A M
J J T G V B I H T D C R F J R X
T C L K R F T L O D H O I J S S
W H O B R N E W J I R A E N F M
X O C A R E N Q S E H E A D L O
L Y C L Y V D W V C A T T L E R
L B H O T A E E H T J E S U S N
O S I V T E R A M L B R D D N I
W K L E T H Y A W A O A G L I N
I Y D D V T K S T A Y O B N G G
N X R V S E S O L C B Q K Y H D
G P E I S B Y N C H B W N E D K
A Y N C R Y I N G L I V E Z D U
B S X O A E B X P A O O U O P E
```

THE FIRST NOEL

The **first** **Noel** the **angel** did say
was to **certain** **poor** **shepherds**
in **fields** as they lay;
in fields where they lay **keeping** their **sheep**,
on a cold **winter's** **night** that was so **deep**.

Noel, Noel, Noel, Noel,
born is the **King** of **Israel**.

They **looked** up and saw a **star**
shining in the **east**, **beyond** them far;
and to the **earth** it **gave** **great** **light**,
and so it **continued** both day and **night**.

And by the light of that same star
three **Wise** Men came from **country** far;
to seek for a **king** was their **intent**,
and to **follow** the star **wherever** it **went**.

```
O G H R I B X Q K X T C T D S P
K V L N O G Q K X R V P E E H S
D I V R G N I P E E K K Y S T L
E T N M R Y R T N U O C D N E S
E V A G E N O E L O G L E A W H
P P F W A Q L G L H E T R A I I
B F M I T L N H T I N S E U N N
X E O J R I I R F I I A V L T I
Z I Y L K S A G M Y A E E B E N
D Y V O L E T E H F T T R Z R G
W I S E N O U H T T R O E X S K
N I G H T D W L S P E K H J U B
D R P O O R W E N T C T W G H B
S T A R N I G H T A N G E L N E
U Q B S H E P H E R D S K S U S
Z X I C O N T I N U E D B W W V
```

Solution on page 75

NATIVITY SCENE

```
K M J S N O N M Z L Q O B F M S
D C R B H E L B A T S V Q I A W
G Q A N M E H A E K M N W G N A R
R S T E L X P J Z J B P G U G C
N T S G P H S H A N G E L R E J
N I N E J E X Z Z W D L I R E
W J O S E P H C L R C Z D N K Y
V P I L U U C S B T D B Q E D D
U A T A K X S C I Z S S R S N V
M Y A M N W Y X T N E D K I H U
R X R I A P L M C P C G W W C C
A H O N J R Z A E L T L Z D W G
F T C A W O Y M L A S L T Q G U
N O E G B K P P L B L U X P D E
C Z D P V U N B O I F S S O U V
D Q I K B P M M C F S B K N U V
```

FIGURINES   WISE MEN
STABLE   ANGEL
ANIMALS   SHEPHERDS
MANGER   STAR
MARY   DECORATION
JOSEPH   COLLECTIBLE

      Solution on page 78

ANGELS

```
F F B U G Y H A O X F B W B Z S
K K S G T P M S B P Y H W V T T
L F U R C H E D E R A E P P A J
R S G M F G H R D S I X G B T P
H G H I A O L L I W D O O G R E
A C A S R E G N E S S E M M U A
S Q S B C N J C N O H L Z G M C
E E D Z R S J S T R M T O H P E
M V R W Q I J P T T M L D Z E O
U O E P O T E P O F W J Q Z T N
F S H B S G J L G N I G N I S E
X P P Q C G O E O X T L D T I A
C W E I J M P J D D P D L P J R
Y I H H E A V E N L Y H O S T T
P E S P R A I S I N G G O D P H
G L O R Y T O G O D D R E A M S
```

SINGING	PRAISING GOD
APPEARED	MESSENGERS
GLORY TO GOD	MESSAGES
PEACE ON EARTH	GABRIEL
GOODWILL	TRUMPETS
SHEPHERDS	OBEDIENT TO GOD
HEAVENLY HOST	DREAMS

Solution on page 78

O COME ALL YE FAITHFUL

O **come**, all ye **faithful**,
joyful and **triumphant**,
O come ye, O come ye
to **Bethlehem**.
Come and **behold** him,
born the **king** of **angels**.

O come let us **adore** him,
O come let us adore him,
O come let us adore him,
Christ the **Lord**.

True God of true God,
Light of light **eternal**,
our **lowly nature** he **hath** not **abhorred**;
born of a **woman**,
here in **flesh appearing**.

```
J W H T S E U R T H G I L W D Q
Q Y J Q L I T B K D N P N O I N
K F T R A M A E F Z I U N M G J
J W P C N C P L R B K Y G A S L
C M A X G H P O O N W U O N F H
L O U W E R K R H L A C D E G L
U O M D L I N D U E D L O H E B
F C W E S S Q F E H R S Y R V A
H S E L F T Y R L D H E C M H B
T M H O Y O O R U W A J I T D H
I V R V J D N A T U R E A Y E O
A Y D D A E C K L A Z H R A N R
F V F M T R I U M P H A N T M R
A P P E A R I N G P S S U M H E
T H I F C V Y U Q W Z N X I Z D
B E T H L E H E M C Z B B H P Z
```

Solution on page 78

NAZARETH

```
K Q Q H D L H H S F S S E X R W
N T Q C U O B E Y N P B S S H I
S J J N F O C W A G P S X D A P
M E B U Q K R I C B K B A T K Z
A F S D F E N E R A Z A N L L O
L A K V I D F Y D V V W H E M S
L Z U L A D X Y C E H P O R P S
V S L A J O F L H Z S H U V C Q
I H C J M W O W A F I P S P R W
L N F U F N W O N K N U I J T P
L N F U L U U L K F I U D S W A
A L D S E P O E V G L S U G E R
G E D T D O W Z N T Y A A F O D
E K N Q O N W O T E M O H I B J
F B M S D N D I Q P K C I V A H
O Q H A H J V Q D B L Y E U B H
```

PROPHECY   ISAIAH
NAZARENE   LOOKED DOWN UPON
HOMETOWN   DESPISED
SMALL VILLAGE   LOWLY
PSALMS   UNKNOWN

Flight to Egypt

```
K B O B K G Z W X Z D F U P Q S
I N S H M K Z T O I W X J R O A
N F I L V T W O Y E A R S O W F
G K C P W T K G C I C W V P I E
H X F L E D T O E G Y P T H T I
E N Q A L Z G K K C K S R E E N
R A R T O L E H I V S B Q C Z E
O W F H Q R R M O L Z Q A Y O G
D I A W P Z A F D B L G G K O Y
O K R B C B M Z B O U I Y T K P
Y O U N G B O Y S S G D N E J T
M A R Y A N D J O S E P H G Q F
O B E D I E N C E F L I R V R V
M X Q Y X B C G U M X P O P H M
B Q F P M X Y C X U J I Z J J G
J Q N D X V B R H L L Q H T C P
```

MARY AND JOSEPH
FLED TO EGYPT
KING HEROD
YOUNG BOYS
KILLING

TWO YEARS
SAFE IN EGYPT
OBEDIENCE
PROPHECY

Solution on page 78

HARK, THE HERALD ANGELS SING

Hark! the herald angels sing,
"Glory to the newborn King:
peace on earth, and mercy mild,
God and sinners reconciled!"
Joyful, all ye nations, rise,
join the triumph of the skies;
with th'angelic hosts proclaim,
"Christ is born in Bethlehem!"

Hark! the herald angels sing,
"Glory to the newborn King"

Christ, by highest heaven adored,
Christ, the everlasting Lord,
late in time behold him come,
offspring of the Virgin's womb:
veiled in flesh the Godhead see;
hail th'incarnate Deity,
pleased with us in flesh to dwell,
Jesus, our Immanuel.

```
E E K S D E L I E V O S E I K S
I D E L I C N O C E R F Z T A S
G N I O J X H G D E S A E L P L
T M A N G E L S N D H E R A L D
N D E I T Y X N A E P R U D J X
E M E R C Y I E O V T S I R H C
W L I A H S H H F E H T I Y B Y
B O B V E D P I F R S S U N R N
O R B M O W M G S L E O N O G A
R D O G E N U H P A L H L J N T
N C S C E H I E R S F G U E I I
I X A V T K R S I T I D F S K O
D E A R A M T T N I A W Y U R N
P E A M L D J J G N O E O S A S
H E V I R G I N S G T L J X H K
B E H O L D E R O D A L L A V V
```

JOY TO THE WORLD

Joy to the **world**, the **Lord** is **come**!
Let **earth** **receive** its **king**;
let ev'ry **heart** **prepare** him **room**,
and heav'n and **nature** **sing**,
and **heav'n** and nature sing,
and heav'n, and heav'n and nature sing.

Joy to the earth, the **Savior** **reigns**!
Let all their **songs** **employ**
while **field** and **floods**, **rocks**, **hills**, and **plains**,
repeat the sounding joy,
repeat the **sounding** joy,
repeat, repeat the sounding joy.

No more let **sins** and **sorrows** **grow**,
nor **thorns** **infest** the **ground**.
He **comes** to make his **blessings** **flow**
far as the **curse** is found,
far as the curse is **found**,
far as, far as the curse is found.

```
C H Z M F W J K S L L I H D H B
O E S G R U O F Z I U X R X S L
M A O Q H L Y R L E N O B N P E
E R N D N U O R G O L G R G S S
R T G L E F L P N J O O O N P S
V O S J H R P L I E H D G O E I
Q Z C E G I M A K T A I S S F N
O D A K F O E I Y C E R R S G G
I V A Q S N S N M R O U T A U S
N A T U R E I S K H C M R H T I
F D S O U N D I N G X O E A Y W
O L S W O R R O S L I W E S O O
U E V I E C E R S V U P O L D R
N I U M N X A G A J E U F R Q P
D F K S I S P S D R R O O M L W
Z D E P P R E P A R E Q C P B D
```

LOCATIONS

```
Q M L Y R B M E S G O K H D Q L
B K I D C H O T Q A U E L V H W
Q C F D R V A M L L Z J D O Y Q
D X I H D B J X H I A K R J Z R
V L E T L L A C J L K L A C J F
V Y X E Y O E E U E S R C Y W F
M D R R G O R E W E W L K Q M R
N V J A H U F L A W Y R N V H Y
B K A Z S S F D S S Z H B V Q Z
A J V A O O P R A S T S E L C F
N G L N U D G I J V L F F P W W
B E T H L E H E M E I E G S Q E
M Q R E K H C A A K D D Y D O G
W Z Y N S L E R D V N G U V T Z
M A N G E R S R E G Y P T K J Z
C N O T X I U F E U T D J G Q Z
```

ISRAEL

JERUSALEM

BETHLEHEM

CITY OF DAVID

STABLE

MANGER

EGYPT

NAZARETH

GALILEE

MIDDLE EAST

Bethlehem

```
S Y L V Z C X V N R R J Z P J V
L O T P I Z T P T V F W J S P I
G A U Q N L V Q T G G G V M D S
S Z P T F D L R T A T D D U X U
C G D S H A Z A O B F O E M O H
F F E L H E R S G M T T C R B E
N I D A H R R L B E D G I I G E
A V C I M B W N M S Y V T C R Z
D I O Q G F Y H C B G D Y H M Y
M S V G V O Z M L I T Z O H A W
O E J W Z E U F U V T X F I K F
K U M B M S T B A D R Y D S C D
N F A N F U N B S Z G Z A T M W
C H G A I O R A I Q W B V O N L
Y Z X A T H W B G J T U I R S O
P R O P H E C Y H W S F D Y D U
```

PROPHECY	HOUSE OF BREAD
MICAH	SOUTHERN CITY
VILLAGE	HOME OF BOAZ
CITY OF DAVID	RICH HISTORY

Solution on page 78

O Come, O Come Immanuel

O **come**, O come, **Immanuel**,
and **ransom captive Israel**
that **mourns** in **lonely exile here**
until the Son of God **appear**.

Rejoice! Rejoice! Immanuel
shall come to you, O Israel.

O come, O **Wisdom** from on **high**,
who **ordered** all **things mightily**;
to us the **path** of **knowledge show**
and **teach** us in its **ways** to go.

O come, O come, great **Lord** of **might**,
who to your **tribes** on **Sinai's height**
in **ancient times** did give the **law**
in **cloud** and **majesty** and **awe**.

```
R K L C O P R E J O I C E H E W
T A N R C A R C Y B Y Y Q I P I
E W N O V T Z O E X I L E G V S
A D X S W H L M T H G I E H Y D
C X D R O L U E S U V T A N P O
H U Y O H M E E L D X H N U O M
L A W V S Q M D Q E X G C Y T L
L A M A L I X D G R A I I I Y I
A A P I T A W E M E Y M E G T M
H C T P C O M E S D P G N L S M
S N H K E M P G D R O S T E E A
U R G G R A N C L O U D B A J N
Y J I S E I R S I A N I S R A U
N G M A H H V Y G X R A B S M E
Q W O T V W E V I T P A C I L L
U J R W A Y S O M O U R N S V Y
```

CHRISTMAS HYMNS

```
O R L P X A D E H Q L F G A O W
C A X M C W M I H K H M L V H Z
O R T I U A V X H I O X M E O L
M F K F Q Y N F T A A L M M L Y
E L T H G I N T N E L I S A Y L
E T H G I N Y L O H H O I R N M
M O R V E A Z Q F K V M U I I O
A X Y I D M L A W B D R X A G C
N T L Y G A H K J J O U T W H B
U I M P E N U U A K F D C C T I
E M K O S G N I K E E R H T E W
L G J W L E O N T S R I F E H T
U T L O R R Y C L C K A D E L C
J O Y T O T H E W O R L D D N H
X I X W R O H W D Y Y Y V H L X
C I W Y X G S I X Z E A Y R G I
```

JOY TO THE WORLD
AWAY IN A MANGER
THE FIRST NOEL
O COME EMANUEL
O HOLY NIGHT

SILENT NIGHT
WE THREE KINGS
AVE MARIA
OH HOLY NIGHT

Solution on page 79

Baby Jesus

```
F L A I D I N M A N G E R H C F
O W D Q W E K I C W X R W E O U
R Y Y N T H G L C K I O W R U L
E L B A T S N I N R O B Q S N L
T G E F R T X M U J X N O B S Y
O F J U B A F G X N E I N L E M
L P R I N C E O F P E A C E L A
D E M F U L L Y G O D U B Z O N
M O C O M F O R T E R T Q W R S
R A G C G L D D W U S K X A O N
V L J Y U S A X E H S Z A I X A
U K J R T C B X Z V T K H O U B
H M F O D H B K W D S U V N L
D U Y T Y Z G L A M B O F G O D
N I L L Y L N I A I S J J F K N
U U T Z J O F Z M I F C M J Q P
```

FORETOLD	PRINCE OF PEACE
LAMB OF GOD	LAID IN MANGER
COMFORTER	BORN IN STABLE
COUNSELOR	FULLY GOD
MIGHTY GOD	FULLY MAN

GENEALOGY OF CHRIST PART 1

The book of the genealogy of **Jesus** Christ,
the son of David, the son of **Abraham**.

Abraham became the **father** of **Isaac**.
Isaac became the father of **Jacob**.
Jacob became the father of **Judah** and his
brothers. Judah became the father of **Perez**
and **Zerah** by **Tamar**. Perez became the father
of **Hezron**. Hezron became the father of Ram.
Ram became the father of **Amminadab**.
Amminadab became the father of **Nahshon**.
Nahshon became the father of **Salmon**.
Salmon became the father of **Boaz** by **Rahab**.
Boaz became the father of **Obed** by **Ruth**.
Obed became the father of **Jesse**. Jesse
became the father of **King David**. David
became the father of **Solomon** by her who had
been Uriah's wife. Solomon became the father
of **Rehoboam**. Rehoboam became the father
of **Abijah**. Abijah became the father of **Asa**.
Asa became the father of **Jehosaphat**.
Jehoshaphat became the father of **Joram**.
Joram became the father of **Uzziah**.

```
B R O T H E R S J K A J W C V A
N V V I G A T F U D O L H V D M
T C S I J P A H D R S T A S C M
M D E Q N Y M V A O U U B B B I
F A T H E R A M H R S P R O R N
Z C R M A G R H E O E S A C S A
V T A H P A S O H E J Z H A B D
K V M A O B O H E R B H A J N A
X I A G C B N O C F U J M A O B
P S N A I O B N O R Z E H U M A
A E A G M E P R J E H S J K L H
L S R O D A B I J A H S L N A A
I T L E V A A H C O M E B F S R
B O Z J Z R V C N U Z Z I A H J
S O F B O N S I K X R I W I X D
W E I H K N B G D G P D P B A T
```

GENEALOGY OF CHRIST PART 2

Uzziah became the father of **Jotham**.
Jotham became the father of **Ahaz**.
Ahaz became the father of Hezekiah.
Hezekiah became the father of **Manasseh**.
Manasseh **became** the **father** of **Amon**.
Amon became the father of **Josiah**. Josiah
became the father of **Jechoniah** and his
brothers at the time of the **exile** to Babylon.

After the exile to **Babylon**, Jechoniah became
the father of **Shealtiel**. Shealtiel became the
father of **Zerubbabel**. Zerubbabel became the
father of **Abiud**. Abiud became the father of
Eliakim. Eliakim became the father of Azor.
Azor became the father of **Zadok**. Zadok
became the father of **Achim**. Achim became
the father of **Eliud**. Eliud became the father of
Eleazar. Eleazar became the father of
Matthan. Matthan became the father of Jacob.
Jacob became the father of **Joseph**, the
husband of **Mary**, from whom was **born**
Jesus, who is called **Christ**.

```
J O Q W C H P S J J M Y K K Q Q
Q A J K A P I I H A U X W C B P
N N C I L E W G H E S S A N A M
T Z Z O K S V T E X A Y C R X X
R Z X O B O O L L B L L R O M H
U P D O G J D U I L E Y T B G N
O A G N A H T T A M B C L I O N
Z J N H D A N T K A A J A M E O
B R O T H E R S I J B E A M P L
F A Z O R L E I M Z B C H J E Y
A A N C F I K R A P U H U O S B
S B T O L X M H R Y R O S S K A
J G I H J E A C R U E N B I L B
B H O U E E H A A H Z I A A Q H
Q V B K D R M I H C A A N H W H
E L E A Z A R I H E J H D C E Y
```

1st Century Life

```
A U N L E A V E N E D B R E A D
G N I H T O L C L O O W S F E B
R N R S Y N A G O G U E S R V Y
A O I T R G R R J I J X U C L X
R A H H N Z A U F V G T J S E Y
I U Q L S K X A H J C E H Y Z G
A B D O L I M G K U B U E H A Z
N F G B W I F Z R R E B N I X A
S X Y M Y P T T H Q C H H X W G
O K Z L Z Q S D R A Y E N I V J
C T I M P L M F R G M E Q T Y T
I F T G A B R E A D M A K I N G
E N N B I Y M B W R Y S Y J F Q
T P I R F K E P K K L T V J H D
Y R Y O U N G M A R R I A G E S
T L I N E N C L O T H I N G A I
```

TRIBAL STRUCTURE

FAMIY LIFE

YOUNG MARRIAGES

AGRARIAN SOCIETY

FISHING

BREADMAKING

WOOL CLOTHING

LINEN CLOTHING

VINEYARDS

UNLEAVENED BREAD

SYNAGOGUES

MESSIANIC PROPHECIES

```
Z B Y T H Z W S Z F A M W G D S
H O C F I J O P N F Q Z C O E K
H R D L Y N U Q W M R W G N Y H
E N X J O X L Z G U O F C M N G
C O B F F U D I F T O Z V P W R
W F M U C V B A U N A K O G A T
F A A S D H E R O T I P H V N P
N V L E W K P S B E M D O A C R
H I R F N D I W K U U C N B Z A
B R E A C F E X B G N E A P W G
Q G V G L Z R P N H V A E J Y M
P I O E U I C N U O F T Q D U J
Y N S Z O D E T C E R R U S E R
B H S O R S D W J H N Q Z U E O
U Y A V S C E P P T H Y A F J C
Q M P L B N B Q Z F S Q R G D I
```

RESURRECTED
NEW COVENANT
BORN OF A VIRGIN
WOULD BE PIERCED

SON OF GOD
SON OF MAN
PASSOVER LAMB

Solution on page 79

Isaiah 9:6

```
S S K G I V L G P N C B M C I E
O H H I Z D I O E C H V O S M V
N U O V Q R L V A C I T Z R D E
T A D E L Z S E C N L Z X E N R
X J M N I S B R E Y D R F D T L
F P E E K S Y N O S C B Z L K A
B B Z F B M J M T L Z W P U P S
L U Z F K C S E N T E S Q O Z T
U L S W A P D N U T B S E H J I
F X S L C R Y T H G I M N S X N
R A L V Y I D G F R F R I U E G
E E T Q V N E E I G O I H U O B
D P G H J C X P S V N R D W C
N R B K E E L P H N A L I C N G
O I P P S R Y U P L I W F R U I
W O C N V V M T E C U W R H U G
```

For a **child** is **born** to us. A **son** is **given** to us; and the **government** will be on his **shoulders**. His **name** will be **called** **Wonderful** **Counselor**, **Mighty** **God**, **Everlasting** **Father**, **Prince** of **Peace**.

MICAH 5:2

```
V R S C O M E O W H F Z N V I F
A C K P N R E I A Y M V P M S V
C R H Q A D U H O I D A O D J T
L U F V V Y T L N N J Y C M N Z
T G N O M A D B E L U D L U C G
I E A S R F R O M R D T A O S W
M V F H W W B W M D A L N X E L
E G P A U N E I D E H B S U L Q
S E B E T H L E H E M Z E A R F
I X I Y N I W J A S G N M I Y A
T R Q X E Q S H A W P S N Y N S
O C M R I V K R O P J X F V O G
R N D N C O T K A S F X T C U N
U N R G N O T U J E E D G U V I
W G O Q A D W P S E L F Z D U O
C M C F I B V Z R X H T I V E G
```

But you, **Bethlehem Ephrathah**,
being **small** **among** the **clans** of **Judah**,
out of you one will **come** out to me that is to be
ruler in **Israel**; **whose** **goings** out are **from** of **old**,
from **ancient** **times**.

Solution on page 79

Isaiah 7:14–15

```
X C U E M S T K L V M L S F M T
J L A Q Y N X H R A E B I W A V
U G H L I I Y N E U M Y G E Y S
U I D G L Z B S N R E E N E E W
C W R Q H P Y A K S E B D E N N
R I A E K M M C O N P F I T O A
V Z T G T M S O Y O O E O F H M
G I V E I T H H E V C W L R Q E
Z T R R G C U S A N M E S J E F
K Q G L M O U B O L S B V A F N
Q I I H V F O C V M L M D O G R
S V J Z E I M D I G P B L L W W
E Q Y R L R X H G J D A O O B U
T U G Q P G A V M F K Z H U R Z
F C E A W A J D J X R X E Q X D
P C L G Q Y Q F C V R I B A Q K
```

Therefore the **Lord** **himself** will **give** you a **sign**.
Behold, the **virgin** will **conceive**, and **bear** a son,
and **shall** **call** his **name** Immanuel. He shall **eat**
butter and **honey** when he **knows** to **refuse** the
evil and **choose** the **good**.

     Solution on page 80

CHRISTMAS PAGEANT

```
B Q N K C H G G Y G G N P M J X
L A T J I W N Q K W E S E A N M
H C B W M A I K O R C D R R M I
H O B Y U B G Q D A I W F Y K H
F R M A J O N L U N T C O A G U
R L X L R E I E N I C E R N F I
F V F P M H S O R M A D M D W P
D E H H C A N U U A R A A J C O
L L H C V U N N S L P C N O O J
T P W R S P R G C S B X C S S P
S K A U F T N O E P Y Q E E T Y
Z G X H K I F T F R J K V P U D
M L Y C U K H Y A D J Y B B M Q
N A T I V I T Y S C E N E N E G
S S U N D A Y S C H O O L T S H
E O M L T J Z H G L J W O E X G
```

SUNDAY SCHOOL
CHURCH PLAY
NATIVITY SCENE
CHILDREN
COSTUMES
ANIMALS

SINGING
PRACTICE
PERFORMANCE
MARY AND JOSEPH
BABY JESUS
MANGER

Solution on page 80

LUKE 1:26-33

Now in the **sixth** month, the **angel Gabriel** was sent from God to a city of **Galilee named** Nazareth, to a virgin **pledged** to be married to a man whose **name** was **Joseph**, of **David's** house. The virgin's name was **Mary**. **Having** come in, the angel said to her, "**Rejoice**, you **highly favored** one! The **Lord** is with you. **Blessed** are you **among women**!"

But when she saw him, she was **greatly troubled** at the **saying**, and **considered** what kind of **salutation** this might be. The angel said to her, "Don't be **afraid**, Mary, for you have found **favor** with God. Behold, you will **conceive** in your **womb** and give **birth** to a son, and **shall** name him 'Jesus.' He will be **great** and will be **called** the Son of the **Most High**. The Lord God will **give** him the **throne** of his father David, and he will **reign** over the **house** of **Jacob forever**. There will be no **end** to his Kingdom."

```
C O N S I D E R E D E R W C H E
N W I N G I N S U S E J J I V R
S A M H R A M E N V L C G I P E
H A M T E R T I E J I H G L M J
W A L E A F S R M T L G E C A O
O C V U T A O N O Y A D N J R I
M E A I T F M A W B G R A O Y C
B L E G N A Q I R E H C M X M E
S I X T H G T I D T O H I G H A
H O U S E X E I R B L E S S E D
G R E A T L Y I O C A L L E D D
N V N K D L B D L N F A V O R A
A C O N C E I V E J O S E P H V
M C R E G D T R O U B L E D R I
E V H S H A L L S A Y I N G K D
D N T R E I G N F A V O R E D S
```

Solution on page 80

LUKE 1:34-38

Mary said to the **angel**, "How can this be, **seeing** I am a **virgin**?"

The angel **answered** her, "The **Holy Spirit** will **come** on you, and the **power** of the Most High will **overshadow** you. **Therefore** also the holy one who is **born** from you will be **called** the Son of God. **Behold**, **Elizabeth** your **relative also** has **conceived** a **son** in her old **age**; and this is the **sixth month** with her who was **called barren**. For **nothing spoken** by God is **impossible**."

Mary said, "**Behold**, the **servant** of the **Lord**; let it be **done** to me **according** to your **word**."

Then the angel departed from her.

```
S F O W W C S Q F Y Y T D A R C
P P E R O F E R E H T L U G E O
O L I Y R Z E Y I B O U O E L N
W W B R D W I M B H S W K H A C
E N E A I P N U E O O A U I T E
R G H M L T G B N D R F X Z I I
S N O A D E L L A C L N J S V V
I I L J H G B H O J O Y O P E E
X D D T F G S D B W R A L S O D
T R N O T R E A V D D X E W T R
H O E L E L R E L I Z A B E T H
M C M V L R E L B I S S O P M I
D C O A E D Q G A N S W E R E D
O A C N O T H I N G S P O K E N
N T W H H T L T N A V R E S O W
E L Z O Q R V I R G I N O V I D
```

LUKE 2:1-7

Now in **those days**, a **decree** went out from **Caesar Augustus** that all the **world** should be enrolled. This was the **first enrollment** made when Quirinius was governor of **Syria**.
All went to enroll **themselves**, **everyone** to his own **city**. **Joseph** also went up from **Galilee**, out of the city of **Nazareth**, into **Judea**, to **David's** city, which is called Bethlehem, because he was of the **house** and **family** of David; to enroll himself with **Mary**, who was pledged to be **married** to him as wife, **being pregnant**.

While they were there, the **day** had come for her to give **birth**. She gave birth to her **firstborn** son. She **wrapped** him in **bands** of **cloth**, and laid him in a **feeding trough**, because there was no **room** for them in the **inn**.

```
S W W B R N D R F D J I Y P D T
G O H F N P Q W Y A Z V E A C H
C R I I C B R F E X M P V G L O
S L L Q A A S I N N D I N S O S
H D E I P A U R O A D I L G T E
P T R P H M T S Y S D O A Y H E
E Y E O S A S T R E U L L T M N
S D J R Y R U Q E V I P T I A R
O H D U A Y G F V L R J R C R O
J R F C D Z U H E E S U O H R L
D Q N A W E A E G S H A U C I L
C A E S A R A N N M I R G D E M
R R V K U L A Y I E M D H L D E
J O B K A N M T E H B A N D S N
Y O J V T N R O B T S R I F P T
E M B I R T H D E C R E E Z A V
```

LUKE 2:8–14

There were shepherds in the **same** **country** **staying** in the **field**, and **keeping** **watch** by **night** over their **flock**. Behold, an **angel** of the Lord **stood** by them, and the **glory** of the Lord **shone** around them, and they were **terrified**. The angel said to them, "Don't be **afraid**, for **behold**, I bring you **good** **news** of great **joy** which will be to all the people. For there is **born** to you **today**, in David's city, a Savior, who is **Christ** the Lord. This is the **sign** to you: you will find a **baby** **wrapped** in **strips** of **cloth**, **lying** in a **feeding** **trough**." **Suddenly**, there was with the angel a multitude of the heavenly **army** **praising** God, and **saying**,

"**Glory** to God in the **highest**, on **earth** **peace**, **good** will **toward** **men**."

```
C Q R N H S T Y U Y S H O N E P
B P R T P S R M C A O Y D X Y R
W O O I E T A R N D R A W O T A
B L R H N S F A P O N S S V E I
C T G U G I R H L T F H A S C S
S I O A I R A G G E S I T M A I
H C L X S H I U O R K A E O E N
S T O O D C D O O R Y K Y L P G
M D L O H E B R D I E C C I D R
E C K C O L F T N F R A W U N M
N Z T B A B Y G P I A Y R O L G
F A F E E D I N G E G N E T A N
W W R A P P E D N D O Q G E H E
T Y K E E P I N G Q O H Y E M W
P N S U D D E N L Y D O T F L S
O L N I G H T S B N J L Y I N G
```

LUKE 2:15–20

When the **angels** **went** away from them
into the sky, the **shepherds** said
to one **another**, "Let's go to Bethlehem, now,
and see this **thing** that has **happened**,
which the **Lord** has made **known** to us."
They **came** with **haste**, and **found** both
Mary and **Joseph**, and the **baby**
was **lying** in the **feeding** **trough**.
When they saw it, they publicized **widely**
the **saying** which was **spoken** to them about
this **child**. All who **heard** it **wondered**
at the **things** which were **spoken** to them
by the shepherds. But **Mary** **kept** all these
sayings, **pondering** them in her **heart**.
The shepherds **returned**, glorifying and
praising God for all the things that they had
heard and **seen**, just as it was **told** them.

```
H S D R E H P E H S Q K W D W S
R A X P P Y Y A W E N T R O L C
B T P E K L S E S O Y A N E E S
G A S P E T G T E X E D I Q M X
C O B D E N W K G H E G N K A T
J H I Y I N C G N R N X F U C Q
C W Y D R A E H E I O B Y G O O
L D E L M M C D Y K N O W N C F
N E K O P S B A R A N G E L S N
F N L R S D S N A T T U D R E T
Z R Y D M A R Y M H O Y O K N H
M U I H E A R T L I L H O E I I
W T N C H I L D E N D P P G M N
Y E G T R O U G H G S W I E C G
Y R B B L Q G N I S I A R P K I
A N O T H E R P O N D E R I N G
```

LUKE 2:25-33

Behold, there was a man in **Jerusalem** whose name was **Simeon**. This man was **righteous** and **devout**, looking for the **consolation** of **Israel**, and the **Holy** Spirit was on him. It had been revealed to him by the Holy Spirit that he **should** not see **death before** he had seen the **Lord's Christ**. He **came** in the Spirit into the **temple**. When the **parents brought** in the **child**, **Jesus**, that they might do concerning him **according** to the custom of the law, then he **received** him into his **arms**, and **blessed** God, and said,

"Now you are releasing your **servant**, **Master**, according to your **word**, in **peace**; for my eyes have seen your salvation, which you have prepared before the face of all **peoples**; a **light** for revelation to the **nations**, and the **glory** of your people Israel."

Joseph and his **mother** were **marveling** at the **things** which were spoken concerning him.

```
S E R V A N T M H Z T E C J R B
M J E D G D S A O S R E A E I G
R E H E L E I S L H M X M R G I
A S T V O A R T Y G V I E U H H
C U O O R T H E P E A C E S T B
B S M U Y H C R C H I L D A E E
I L S T L O R D S S P H X L O H
S F E M A R V E L I N G K E U O
R J L S G N I H T U B J V M S L
A W P M S B D Q S N O E M I S D
E O O Q O E S I N I B H F Q D P
L R E G N I D R O C C A S O U L
O D P A N D E V I E C E R V R F
B R O U G H T R T H G I L J E E
N G H K N O I T A L O S N O C T
T E M P L E S T N E R A P S U I
```

Solution on page 80

LUKE 2:36–40

There was one **Anna**, a prophetess,
the **daughter** of **Phanuel**, of the **tribe** of **Asher**
(she was of a **great** age, having **lived** with a
husband **seven years** from her virginity, and
she had been a **widow** for about eighty-four
years), who didn't **depart** from the **temple**,
worshiping with **fastings** and petitions
night and day. **Coming** up at that **very hour**,
she gave thanks to the Lord, and **spoke**
of him to all those who were **looking** for
redemption in **Jerusalem**.

When they had accomplished all things
that were according to the law of the **Lord**,
they **returned** into **Galilee**, to their own **city**,
Nazareth. The **child** was **growing**, and was
becoming **strong** in **spirit**, being **filled** with
wisdom, and the **grace** of God was **upon** him.

```
Q G W V Q F S A D G U P O N N T
C Z A O I V S S E N R G G W A R
H V C L R D D H P I E E D F Z I
K R L N I S L E A M O M A F A B
S E V E N L H R R O Q S N T R E
D T M G O L E I T C T A N W E J
E H I R H Y K E P I E Y A I T V
V G D A H V O G N I W O R G H E
I U C C F I P G G O N K W L R R
L A M E L A S U R E J G I O E Y
R D N S T R O N G E Z T S O T T
W O D I W G Z H L X I J D K U I
G K R G G L C P O R I L O I R C
C H I L D H M B I U Q N M N N U
Y E A R S E T P V W R Y O G E I
R E V W T I S P H A N U E L D A
```

Matthew 1:18–21

Now the **birth** of **Jesus Christ** was like this:
After his **mother**, **Mary**, was **engaged** to
Joseph, **before** they **came** together,
she was **found pregnant** by the **Holy Spirit**.
Joseph, her **husband**, being a **righteous** man,
and not **willing** to make her a **public example**,
intended to put her **away** secretly.
But when he **thought about** these **things**,
behold, an **angel** of the Lord **appeared**
to him in a **dream**, **saying**, "Joseph, son of
David, don't be **afraid** to take to yourself
Mary as your **wife**, for that **which** is
conceived in her is of the Holy Spirit.
She **shall** give **birth** to a son.
You shall **name** him Jesus,
for it is he who shall **save** his **people**
from their **sins**."

```
S A Y I N G R A S B I R T H C Y
W I L L I N G B U P D N U O F F
S A V E M A C O O A I E F I W M
U T A W A Y H U E F V R E T F A
S B H H H C L T T R A O I P P E
E P Q O I P C U H A D F C T R R
J Y L H U I Z D G I F E P U E D
U Y W D L G M A I D M B S C G M
J X M B D W H Y R A M W B X N T
Z O U O L I P T C H R I S T A H
S P S L T A P P E A R E D A N I
X I A E C H E X A M P L E P T N
X H N E P D E V I E C N O C U G
S R B S N H T R I B A N G E L S
D U D B E H O L D P E O P L E Z
H U S B A N D E G A G N E M A N
```

Matthew 1:22–25

Now all this has **happened** that it **might** be
fulfilled which was **spoken** by the Lord
through the **prophet**, **saying**,

"**Behold**, the **virgin shall** be with **child**,
and shall **give birth** to a son.
They shall **call** his **name Immanuel**,"
which is, **being interpreted**,
"God **with** us."

Joseph **arose** from his **sleep**,
and did as the **angel** of the **Lord**
commanded him, and **took** his **wife**
to **himself**; and **didn't know** her **sexually**
until she had **given birth** to her **firstborn** son.
He **named** him **Jesus**.

```
B  I  R  T  H  P  P  G  V  L  C  S  T  V  V  H
H  D  S  F  L  E  S  M  I  H  U  I  U  O  T  Q
A  S  G  A  E  N  S  E  H  S  N  L  M  I  O  C
P  X  H  L  Y  U  R  G  E  T  D  E  W  D  A  K
P  W  S  A  N  I  T  J  E  C  S  U  S  L  F  J
E  O  I  A  L  E  N  R  Q  O  V  N  L  O  R  D
N  Q  M  F  H  L  P  G  R  C  I  A  E  H  F  E
E  E  Q  P  E  R  I  A  B  H  R  M  G  E  D  D
D  A  O  S  E  V  D  K  M  I  G  M  N  B  L  N
O  R  S  T  E  N  Z  N  E  L  I  I  A  Y  Y  A
P  Q  E  N  H  X  J  O  A  D  N  A  H  P  U  M
U  D  G  D  M  R  M  W  U  N  T  I  L  O  T  M
P  B  E  I  N  G  O  C  O  F  B  I  R  T  H  O
F  Y  D  D  P  D  N  U  S  P  O  K  E  N  G  C
S  E  X  U  A  L  L  Y  G  A  B  U  A  I  I  B
F  I  R  S  T  B  O  R  N  H  G  I  V  E  M  E
```

Matthew 2:1-6

Now when **Jesus** was born in **Bethlehem**
of **Judea** in the days of King **Herod**,
behold, wise men from the **east** came
to Jerusalem, **saying**, "Where is he
who is **born** King of the **Jews**?
For we saw his star in the east, and have
come to **worship** him." When King Herod
heard it, he was **troubled**, and all Jerusalem
with him. **Gathering together** all
the **chief priests** and **scribes** of the people,
he **asked** them where the **Christ** would
be born. They said to him, "In Bethlehem of
Judea, for this is **written** through the **prophet**,

'You Bethlehem, land of Judah,
are in no way **least among** the **princes**
of Judah; for out of you shall come a **governor**
who shall **shepherd** my **people**, Israel.'"

```
T R O U B L E D K I Z P V Y L X
C B O K F B O V J X M R Q R A M
B E T H L E H E M T U I S C T I
P H J H M T J G S L A E P J I S
O R Q U R N N A E N W S V E U S
A A O V D I E M C X F T Y S Z H
V M M P Y E J X N N S E P T E
F G O A H C A Q I R R J U I W P
P N S N U E A U R D O R E H R H
B I W Z G M T B P E N B C S I E
L R E H T E G O T K R J H R T R
W E J P E O P L E S E Y I O T D
E H A N Q Y O C X A V V E W E K
B T N S E B I R C S O U F N N Y
Q A S V T S I R H C G B U K P X
S G G B D F T N K E O D X I W G
```

MATTHEW 2:7–12

Then Herod secretly **called** the wise men, and **learned** from them **exactly** what time the star **appeared**. He **sent** them to Bethlehem, and said, "Go and **search** diligently for the **young** child. When you have **found** him, **bring** me word, so that I **also** may **come** and worship him."

They, **having heard** the king, went their way; and **behold**, the **star**, which they saw in the east, **went before** them until it came and **stood** over where the young child was. When they saw the star, they **rejoiced** with **exceedingly great** joy. They came into the **house** and saw the **young** child with Mary, his **mother**, and they fell **down** and **worshiped** him. **Opening** their **treasures**, they **offered** to him **gifts**: **gold**, frankincense, and **myrrh**. **Being warned** in a **dream** not to **return** to Herod, they went back to their own **country** another way.

```
O T W S Q O G D O Q C B U T G D
P I E E S U O H Z F E O N M E V
E R N R K O D N U O F E M P L G
N E T U T X R P Y B S E I E N E
I J Z S O U W C I H E H R U H X
N O O A T A E R G C S I O E Z A
G I Y E V C N Q R R M Y N B D C
B C R R T R N A O A H Z K G R T
E E T T Z B T W E E A A X I A L
H D N Q E S F R O S M L V W E Y
O A U F X R D R U D W O S I H L
L Z O A P P E A R E D D T O N S
D R C W A R N E D L O G V H T G
E X C E E D I N G L Y X V F E R
M Y R R H D E N R A E L I S R R
I B R I N G G S Q C F G N U O Y
```

Matthew 2:13–16

Now when they had **departed**, behold,
an **angel** of the Lord appeared to Joseph
in a **dream**, saying, "**Arise** and take the **young
child** and his **mother**, and **flee** into **Egypt**,
and stay there **until** I tell you, for **Herod**
will **seek** the young child to **destroy** him."

He arose and took the young child and his
mother by **night** and departed into Egypt,
and was there **until** the **death** of Herod,
that it **might** be fulfilled which was **spoken**
by the Lord through the **prophet**, saying,
"Out of Egypt I **called** my son."

Then Herod, when he saw that he was
mocked by the wise men, was **exceedingly
angry**, and sent out and **killed** all the **male
children** who were in **Bethlehem** and in all the
surrounding countryside, from two **years** old
and under, **according** to the **exact time** which
he had **learned** from the **wise** men.

```
Y  S  B  O  V  T  O  Z  Y  D  U  N  T  I  L  P
O  E  H  E  H  S  N  R  D  E  T  R  A  P  E  D
U  E  S  G  T  F  L  E  E  L  A  M  A  E  R  D
N  K  I  H  P  H  S  A  M  L  X  R  L  L  E  Y
G  M  Y  K  Y  K  L  H  C  A  K  R  S  X  F  G
W  I  S  E  G  L  M  E  D  C  V  I  C  X  P  M
C  H  R  P  E  D  L  I  H  C  O  E  L  R  J  D
A  N  G  R  Y  E  A  I  L  E  E  R  O  L  E  M
U  P  Z  R  G  Q  L  E  D  D  M  P  D  K  E  R
T  G  R  N  S  D  A  S  I  E  H  A  C  I  E  D
C  I  A  W  R  R  R  N  P  E  S  O  R  H  N  M
A  B  M  E  N  I  G  H  T  O  M  T  T  I  L  G
X  C  N  E  O  L  K  L  J  S  K  O  R  I  S  X
E  Q  D  H  Y  D  E  A  T  H  M  E  T  O  N  E
C  O  U  N  T  R  Y  S  I  D  E  N  N  D  Y  D
H  E  R  O  D  G  N  I  D  N  U  O  R  R  U  S
```

Matthew 2:19–23

But when **Herod** was **dead**, **behold**,
an **angel** of the Lord appeared in a **dream**
to **Joseph** in **Egypt**, **saying**,
"**Arise** and take the **young** **child** and his
mother, and go into the **land** of **Israel**,
for those who **sought** the young child's life
are dead."

He arose and took the young child and his
mother, and came into the land of Israel.
But when he **heard** that Archelaus was
reigning over **Judea** in the **place** of his **father**,
Herod, he was **afraid** to go there.
Being **warned** in a dream, he **withdrew**
into the **region** of **Galilee**, and **came**
and **lived** in a city called **Nazareth**;
that it **might** be **fulfilled** which was **spoken**
through the prophets that
he will be **called** a Nazarene.

```
N D L O H E B L Q S Q D T I J O
L O X O F J W D A F A H D S U W
D R E A M U S E X N G H J R G L
H E A R D D A A R U D O Y A X E
P H C L W E Y D O S F N E R R
M L Y A U A I S J E H G W L E V
I Z A Y L P N P P L E T Q G E P
G K S C O L G H N L M X I S A E
H Y A G E U E A A I I O I W K V
T S R N D R N D Z F N R C A M E
G A L I L E E G A L A E V J T Q
L L G N I F K U R U X H S Q R N
S I K G H I O F E F K T P Y G E
N E V I C L P H T D I A R F A N
P T O E Y T S F H L W F W G C C
S F Z R D E N R A W M O T H E R
```

Solution on page 81

O HOLY NIGHT

O **holy** night! the stars are **brightly shining**;
It is the night of the **dear Savior's** birth.
Long lay the **world** in sin and **error pining**,
Till He appeared and the **soul** felt its **worth**.
A **thrill** of **hope-** the **weary world rejoices**,
For **yonder** breaks a new and **glorious morn**!
Fall on your **knees**! O hear the **angel voices**!
O **night divine**,
O night when **Christ** was **born**!
O night, O holy night, O night divine!

Led by the light of **faith** serenely beaming,
With glowing **hearts** by His **cradle** we **stand**.
So led by light of a star **sweetly gleaming**,
Here came the **Wise** Men from **Orient** land.
The King of **kings** lay thus in **lowly manger**,
In all our **trials** born to be our **Friend**.
He knows our **need**— to our weakness
is no **stranger**.
Behold your King, before Him **lowly** bend!
Behold your King, before Him lowly bend!

```
R T F M H N H O L Y W F D L G V
E E H R D O I T Q I E A E O L O
D L J R I I P G S J A I A W O I
N D L O I E V E H Y R T R L R C
O A S O I L N I B T Y H D Y I E
Y R W S W C L D N K N E E S O S
S C E P V L E M P E D P E J U G
H H E J A A Y S O R I E N T S H
I E T S T R A N G E R G B G M T
N A L U O S K I N G S G N O S E
I R Y L T H G I R B N I H I R G
N T D L R O W N R O M T R R S N
G S L W O R L D L A R H O C T I
N A T R I A L S E O C R K K A N
F M A N G E R L W A N G E L N I
B E H O L D G S A V I O R S D P
```

SILENT NIGHT

Silent **night**, **holy** night!
All is **calm**, all is **bright**
round yon virgin **mother** and **child**!
Holy **infant**, so **tender** and **mild**,
sleep in heavenly **peace**,
sleep in heavenly peace.

Silent night, holy night!
Shepherds **quake** at the **sight**:
glories **stream** from **heaven** **afar**,
heav'nly **hosts** **sing**, "Alleluia!
Christ the **Savior** is **born**,
Christ the Savior is born!"

Silent night, holy night!
Son of God, **love's** **pure** **light**,
radiant, **beams** from thy **holy** **face**
with the **dawn** of **redeeming** **grace**,
Jesus, **Lord**, at thy **birth**,
Jesus, Lord, at thy birth!

```
T Y S N D P H J J E S U S R U N
H D N H R A F A B S T H A A R G
G A Y L O H W Q I F S D O O H R
I N Y Y L O H N U B I I B L F A
R O U N D B G G C A I Z L A Y C
B E A M S M Z S N A K R C E S E
H N L T A A J T A N L E T D N T
L G I E R U P T B V Y M R H S T
U M R C M O K T R L I E D I T C
J T N A F N I E N L H O R K S H
S H J E V T D V Z P C H R H O I
J G I P H N A N E W C P R E H L
H I Y G E E M H L O V E S A L D
Z L I T H E S I N I G H T V N I
K S M O T H E R L P B P E E L S
R E D E E M I N G D B S Z N Y G
```

GIFTS OF THE MAGI

```
C J H J V W Q T X B Q N D D A R
A O V K B C D J H F J W R L X Y
T U L A T E M S U O I C E R P G
F G C C W O B L T E O R D C C F
G R C O S T L Y U M U D F A E R
O M A J V K O L M S Z Z F X X A
L B P N N T A O A C L E P S T G
D J W T K V D E O Y R E H I P R
Q J A H H I R E B E N W E C I A
B N F G T T N U H S B E A G H N
B H I Y J I Y C I L O B M Y S T
K H J U I G X V E K E D F J R Q
E M Y R R H E Q X N O J X X O I
C E O O P S K X L G S B H B W B
X V H V Q G R X J A L E R W O D
S S K L Z V F U F S N N N S X D
```

GOLD   PRECIOUS METAL
FRANKINCENSE   COMMODITY
MYRRH   HIGH VALUE
COSTLY   SYMBOLIC
EXPENSIVE   FRAGRANT
TREASURE   WORSHIP

   Solution on page 81

Christmas Traditions

```
F A M I L Y G A T H E R I N G W
C H U R C H S E R V I C E D R O
B Y R Q U Q W S Y D S B B Y U J
B A U W A S J M D K S D S Q E T
T Y K I E S O Y P D S T V W G U
T R P I S I N G I N G H Y M N S
K Y I E N E C S Y T I V I T A N
R E J M X G X A D N Z E M O H G
C M D B M E E J X A I J V T C X
B C E W P I S N A E T M O G X W
A I B S K M N B X G Q H S U E P
P G N P H I P G Z A V X Y D T O
T B F I A P U H T P E A V Q F Z
J S A L V M B A D R G N E E I F
Q X E K C P V S Z R E I G D G Z
H K F R Z I Z X Y K C E M B O P
```

PAGEANT	TRIMMING TREE
NATIVITY SCENE	BAKING
SINGING HYMNS	FAMILY GATHERING
GIFT EXCHANGE	CHURCH SERVICE

Solution on page 82

Celebrating Christ

```
A C T S O F S E R V I C E V G R
Z Y A A G V S C E Q X K S I I E
D H B V N F E I Y T P K U S V A
C H A R I T Y V A V C M M I I D
C J F G V M L R R B M L A T N S
A S E K I Z L E P E B S G I G C
R D O T G E M S J D Q A L N T R
O S E I T K X H M N Q P L G I I
L D I M F I G C S G J Q U N T P
I F I N I L J R B O Y X T E H T
N F T X G J U U B A G S H E E U
G H Y L U H O H Q P U V I D S R
A X C S I K Y C S A V G V Y Y E
O T K W O U R M G F L O B J W T
N W T M U C P S N H Q E B J J A
L M M I J R J S C S U D P C P J
```

CHURCH SERVICE	CAROLING
SING HYMNS	GIFT GIVING
READ SCRIPTURE	VISITING NEEDY
CHARITY	GIVING TITHES
ACTS OF SERVICE	PRAYER

Solution on page 82

Stable Animals Solution

```
D W F H K J V W Y W C Z Q F E F
O O T H L H E C L M U A Q T I F
W P N X N V W M S S X U M E K W
W D U K O K D U A X S F M E K L
T N T Q E M Q C G S H E E P L C
D D K H S Y V O X E N L A J R S
D O U F O I S A C I F T K V S F
H I V L B Z F E E H R T T U Q B
R E D E K Z A O A O C A S E W K
N R H H S F G N S R W C V S B W
M U L E S R W T U S E M W L A L
Y H I Y F V A L V E E O E E Q H
F O S N W O J N N S C C E V C G
S C F J G O Q R S X C E S C M U
K J S R L O L H C R Q C M Y W D
N V Y C J Q U Q N Y O H M O U T
```

Wise Men Solution

```
Q D I P M I R M O K Y T N U O O
A T P D A Y U F K W S Y D R H S
D X L Y G Z V Z N A M G T R E K
A O G V I L S R E L E V A R T P
G E E N J E D E M E H J X A U F
E Y B Z J Q H M E Y R V C I H B
P K O T Z T R O S K I Y N T I Y
R T T S M L R B I M L N N G I B
O W F O Y Q Y N W I L B X B T S
P P R Y L J M A S T R O L O G Y
H F P E R S I A O R I R A N W F
E K I Q K X S G G U Q W T N E F
C R C J M S L E H H B R A Z V C
Y A C R I V A L L H F J G O V F
D O O N Y W B X E T G A J J F S
F R A N K I N C E N S E H K R P
```

Shepherds Solution

```
U V T X T F Q H R O D N S P K A
H Y V E R C T E P F Q W E I V C
S H E P H E R D B O Y E D Y Y X
F W M P R Q Y R A V H V D I O O
A I B J E P V B A S D L E I F P
P E A S A N T S L E W S O X F D
N I O U F D S I U I D H O S A K
S J T C I I A L U V T E C O T U
H K U M A T M T I J U E X I S G
M O N J T K F A F N X P V L F O
C S G A N W O U L C G F K L U A
U N F V J I I R O V J O P V A T
H N V H E R D S C Z J L P T E S
T J C H B F M Q K F O D S N X S
T Z N B X R G A S B P G S Z Z A
P L M Q H A L K N S H E E P H C
```

Angels We Have Heard on High Solution

```
P P G G N I K H M Q B B A B P B
K R N U Z R F K E E N K C I B B
P I O X X Y L N V A E H V R Z G
S L S L I V S N I A R T S T P H
T B A I O G L O R I A D A H F C
I E S I S N E I S I S L E C X E
D T W S N R G T B U K S E E S T
I H E H I O N G J J N W L O I A
N L E E A B A U L I H G I H N B
G E T P T W X Y A A N U B Q G I
S H L H N E O R S I D N U U I N
U E Y E U N T U O Q E S J C N S
O M F R O S O H S Z D C O K G P
Y G R D M Y C A U T N M Z M J I
O Z B S O E A D O R E T E H E R
J A Q J R R E P L Y B R B I V E
```

O Little Town of Bethlehem Solution

```
P V N P L E K D E A R T H F E G
J J E L L P E E L S U P A E N F
H E I T S R Y Q S L W B H I E T
D T T R E V O L E P O T N G S F
S I A H C T A W V V R R A I G E
L T T K G Y U W E D O A R L S A
S A H R S I O O R M A H I E B R
G B G N S V L N L P C R P S M S
S H I N E T H D A R E O K G E F
S T N E L I S R S E H A L T H S
L R O F M H Z I T G A O C U E L
E I T X A O K N I V R F O E L A
E B N C E Z Z G N Y E A R S H T
P V H Z R J V R G A B S Q I T R
T O W N D P R O C L A I M H E O
T O G E T H E R A N G E L S B M
```

The Star Solution

```
D N H Y D E P B B J L Z V H W J
V T T V L U G G T D E P P O T S
D E H I Q I N V L Y D Z A F W A
K K B R F A J Q H I W U Y J O D
B O P U Q C I E B J I J C R N H
M H O G Y B A R V H S Q N S U A
J J E O F V I W C V E J J U V N
G T J T E G W D J X M X M O R I
H T E N H Y M D S H E Z N L R K
M Y S T E R I O U S N R S U B E
C O M E T J R G Q C E W L C H H
P L A N E T S N S P H G N A E S
M B X M J T A D U B P Z Q R T T
J O K S O S A S C Q M G A I L E
S T E L L A R E V E N T D M P L
X L H R Q K N H Y A G Q Q R L D
```

Mary and Joseph Solution

```
V D K C V Z D A N U D H D N Y W
M E H U O N I B V Y J O H S A Z
V H N G A V V E D M P B K D K D
G J I B R T A T F M T J M E O Q
G O S H V W D R U I W U C G Z A
S U M P A H F O J M W H D L U D
H K I M Q R O T V U Z E Q M Q R
H S N I P V E H F P Y A K F R V
B S F K X F N E T E W C E Z J G
C A A D I O I D B B V H I T B W
M F E C Z C L O V V P D P O T H
W V F N J E W I S H F A M I L Y
O Y J S E P W C R P A T J M I B
M A R R I A G E T O R Z F W O L
N X K P P H E Z C V F C M T A O
P A R E N T S T O J E S U S F X
```

Away in a Manger Solution

```
C A S L E E P U L M B L C L S R
B L E S S X E D S W I G W R T K
A W A K E S E R J T R E G N A M
J J T G V B I H T D C R F J R X
T C L K R F T L O D H O I J S S
W H O B R N E W J I R A E N F M
X O C A R E N Q S E H E A D L O
L Y C L Y V D W V C A T T L E R
L B H O T A E E H T J E S U S N
O S I V T E R A M L B R D D N I
W K L E T H Y A W A O A G L I N
Y D D V T K S T A Y O B N G G
N X R V S E S O L C B Q K Y H D
G P E I S B Y N C H B W N E D K
A Y N C R Y I N G L I V E Z D U
B S X O A E B X P A O O U O P E
```

The First Noel Solution

```
O G H R I B X Q K X T C T D S P
K V L N O G Q K X R V P E E H S
D I V R G N I P E E K K Y S T L
E T N M R Y R T N U O C D N E S
E V A G E N O E L O G L E A W H
P P F W A Q L G L H E T R A I I
B F M I T L N H T I N S E U N N
X E O J R I I R F I I A V L T I
Z I Y L K S A G M Y A E E B E N
D Y V O L E T E H F T T R Z R G
W I S E N O U H T T R O E X S K
N I G H T D W L S P E K H J U B
D R P O O R W E N T C T W G H B
S T A R N I G H T A N G E L N E
U Q B S H E P H E R D S K S U S
Z X I C O N T I N U E D B W W V
```

Nativity Scene Solution

```
K M J S N O N M Z L Q O B F M S
D C R B H E L B A T S V Q I A W
G Q A N M E H A E K M N W G N A
R S T E L X P J Z J B P G U G C
N T S G P H S H A N G E L R E J
N I N E J E X Z E Z W D L I R E
W J O S E P H C L R C Z D N K Y
V P I L U U C S B T D B Q E D D
U A T A K X S C I Z S S R S N V
M Y A M N W Y X T N E D K I H U
R X R I A P L M C P C G W W C C
A H O N J R Z A E L T L Z D W G
F T C A W O Y M L A S L T Q G U
N O E G B K P P L B L U X P D E
C Z D P V U N B O I F S S O U V
D Q I K B P M M C F S B K N U V
```

Angels Solution

```
F F B U G Y H A O X F B W B Z S
K K S G T P M S B P Y H W V T T
L F U R C H E D E R A E P P A J
R S G M F G H R D S I X G B T P
H G H I A O L L I W D O O G R E
A C A S R E G N E S S E M M U A
S Q S B C N J C N O H L Z G M C
E E D Z R S J S T R M T O H P E
M V R W Q I J P T T M L D Q Z O
U O E P O T E P O F W J Q Z T N
F S H B S G J L G N I G N I S E
X P P Q C G O E O X T L D T I A
C W E I J M P J D D P D L P J R
Y I H H E A V E N L Y H O S T T
P E S P R A I S I N G G O D P H
G L O R Y T O G O D D R E A M S
```

O Come All Ye Faithful Solution

```
J W H T S E U R T H G I L W D Q
Q Y J Q L I T B K D N P N O I N
K F T R A M A E F Z I U N M G J
J W P C N C P L R B K Y G A S L
C M A X G H P O O N W U O N F H
L O U W E R K R H L A C D E G L
U O M D L I N D U E D L O H E B
F C W E S S Q F E H R S Y R V A
H S E L F T Y R L D H E C M H B
T M H O Y O O R U W A J I T D H
I V R V D D A T U R E A Y E O
A Y D D A E C K L A Z H R A N R
F V F M T R I U M P H A N T M R
A P P E A R I N G P S S U M H E
T H I F C V Y U Q W Z N X I Z D
B E T H L E H E M C Z B B H P Z
```

Nazareth Solution

```
K Q Q H D L H H S F S S E X R W
N T Q C U O B E Y N P B S S H I
S J J N F O C W A G P S X D A P
M E B U Q K R I C B K B A T K Z
A F S D F E N E R A Z A N L L O
L A K V I D F Y D V V W H E M S
L Z U L A D X Y C E H P O R P S
V S L A J O F L H Z S H U V C Q
I H C J M W O W A F I P S P R W
L N F U F N W O N K N U I J T P
L N F U L U U L K F I U D S W A
A L D S E P O E V G L S U G E R
G E D T D O W Z N T Y A A F O D
E K N Q O N W O T E M O H I B J
F B M S D N D I Q P K C I V A H
O Q H A H J V Q D B L Y E U B H
```

Flight to Egypt Solution

```
K B O B K G Z W X Z D F U P Q S
I N S H M K Z T O I W X J R O A
N F I L V T W O Y E A R S O W F
G K C P W T K G C I C W V P I E
H X F L E D T O E G Y P T H T I
E N Q A L Z G K K C K S R E E N
R A R T O L E H I V S B Q C Z E
O W F H Q R R M O L Z Q A Y O G
D I A W P Z A F D B L G G K O Y
O K R B C B M Z B O U I Y T K P
Y O U N G B O Y S S G D N E J T
M A R Y A N D J O S E P H G Q F
O B E D I E N C E F L I R V R V
M X Q Y X B C G U M X P O P H M
B Q F P M X Y C X U J I Z J J G
J Q N D X V B R H L L Q H T C P
```

Hark the Herald Angels Sing Solution

```
E E K S D E L I E V O S E I K S
I D E L I C N O C E R F Z T A S
G N I O J X H G D E S A E L P L
T M A N G E L S N D H E R A L D
N D E I T Y X N A E P R U D J X
E M E R C Y I E O V T S I R H C
W L I A H S H H F E H T I Y B Y
B O B V E D P I F R S S U N R N
O R B M O W M G S L E O N O G A
R D O G E N U H P A L H L J N T
N C S C E H I E R S F G U E I I
I X A V T K R S I T I D F S K O
D E A R A M T T N I A W Y U R N
P E A M L D J J G N O E O S A S
H E V I R G I N S G T L J X H K
B E H O L D E R O D A L L A V V
```

Joy to the World Solution

```
C H Z M F W J K S L L I H D H B
O E S G R U O F Z I U X R X S L
M A O Q H L Y R L E N O B N P E
E R N D N U O R G O L G R G S S
R T G L E F L P N J O O O N P S
V O S J H R P L I E H D G O E I
Q Z C E G I M A K T A I S S F N
O D A K F O E I Y C E R R S G G
I V A Q S N S N M R O U T A U S
N A T U R E I S K H C M R H T I
F D S O U N D I N G X O E A Y W
O L S W O R R O S L I W E S O O
U E V I E C E R S V U P O L D R
N I U M N X A G A J E U F R Q P
D F K S I S P S D R R O O M L W
Z D E P P R E P A R E Q C P B D
```

Locations Solution

```
Q M L Y R B M E S G O K H D Q L
B K I D C H O T Q A U E L V H W
Q C F D R V A M L L Z J D O Y Q
D X I H D B J X H I A K R J Z R
V L E T L L A C J L K L A C J F
V Y X E Y O E E U E S R C Y W F
M D R R G O R E W E W L K Q M R
N V J A H U F L A W Y R N V H Y
B K A Z S S F D S S Z H B V Q Z
A J V A O O P R A S T S E L C F
N G L N U D G I J V L F F P W W
B E T H L E H E M E I E G S Q E
M Q R E K H C A A K D D Y D O G
W Z Y N S L E R D V N G U V T Z
M A N G E R S R E G Y P T K J Z
C N O T X I U F E U T D J G Q Z
```

Bethlehem Solution

```
S Y L V Z C X V N R R J Z P J V
L O T P I Z T P T V F W J S P I
G A U Q N L V Q T G G G V M D S
S Z P T F D L R T A T D D U X U
C G D S H A Z A O B F O E M O H
F F E L H E R S G M T T C R B E
N I D A H R R L B E D G I I G E
A V C I M B W N M S Y V T C R Z
D I O Q G F Y H C B G D Y H M Y
M S V G V O Z M L I T Z O H A W
O E J W Z E F U V T X F I K F
K U M B M S T B A D R Y D S C D
N F A N F U N B S Z G Z A T M W
C H G A I O R A U Q W B V O N L
Y Z X A T H W B G J T U I R S O
P R O P H E C Y H W S F D Y D U
```

O Come, O Come, Immanuel Solution

```
R K L C O P R E J O I C E H E W
T A N R C A R C Y B Y Y Q I P I
E W N O V T Z O E X I L E G V S
A D X S W H L M T H G I E H Y D
C X D R O L U E S U V T A N P O
H U Y O H M E E L D X H N U O M
L A W S Q M D Q E X G C Y T L
L A M A L I X D G R A I I I Y I
A A P I T A W E M E Y M E G T M
H C T P C O M E S D P G N L S M
S N H K E M P G D R O S T E E A
U R G G R A N C L O U D B A J N
Y J I S E I R S I A N I S R A U
N G M A H H V Y G X R A B S M E
Q W O T V W E V I T P A C I L L
U J R W A Y S O M O U R N S V Y
```

Christmas Hymns Solution

```
O R L P X A D E H Q L F G A O W
C A X M C W M I H K H M L V H Z
O R T I U A V X H I O X M E O L
M F K F Q Y N F T A A L M M L Y
E L T H G I N T N E L I S A Y L
E T H G I N Y L O H H O I R N M
M O R V E A Z Q F K V M U I I O
A X Y I D M L A W B D R X A G C
N T L Y G A H K J J O U T W H B
U I M P E N U U A K F D C C T I
E M K O S G N I K E E R H T E W
L G J W L E O N T S R I F E H T
U T L O R R Y C L C K A D E L C
J O Y T O T H E W O R L D D N H
X I X W R O H W D Y Y Y V H L X
C I W Y X G S I X Z E A Y R G I
```

Baby Jesus Solution

```
F L A I D I N M A N G E R H C F
O W D Q W E K I C W X R W E O U
R Y Y N T H G L C K I O W R U L
E L B A T S N I N R O B Q S N L
T G E F R T X M U J X N O B S L
O F J U B A F G X N E I N L E M
L P R I N C E O F P E A C E L A
D E M F U L L Y G O D U B Z O N
M O C O M F O R T E R T Q W E R
R A G C G L D D W U S K X A O N
V L J Y U S A X E H S Z A I X A
U K J R T C B X Z V T K H O U B
H M F O D H B K W D S U V V N L
D U Y T Y Z G L A M B O F G O D
N I L L Y L N I A I S J J F K N
U U T Z J O F Z M I F C M J Q P
```

Genealogy of Christ Part 1 Solution

```
B R O T H E R S J K A J W C V A
N V V I G A T F U D O L H V D M
T C S I J P A H D R S T A S C M
M D E Q N Y M V A O U U B B B I
F A T H E R A M H R S P R O R N
Z C R M A G R H E O E S A C S A
V T A H P A S O H E J Z H A B D
K V M A O B O H E R B H A J N A
X I A G C B N O C F U J M A O B
P S N A I O B N O R Z E H U M A
A E A G M E P R J E H S J K L H
L S R O D A B I J A H S L N A A
I T L E V A A H C O M E B F S R
B O Z J Z R V C N U Z Z I A H J
S O F B O N S I K X R I W I X D
W E I H K N B G D G P D P B A T
```

Genealogy of Christ Part 2 Solution

```
J O Q W C H P S J J M Y K K Q Q
Q A J K A P I I H A U X W C B P
N N C I L E W G H E S S A N A M
T Z Z O K S V T E X A Y C R X X
R Z X O B O O L L B L L R O M H
U P D O G J D U I L E Y T B G N
O A G N A H T T A M B C L I O N
Z J N H D A N T K A A J A M E O
B R O T H E R S I J B E A M P L
F A Z O R L E I M Z B C H J E Y
A A N C F I K R A P U H U O S J
S B T O L X M H R Y R O S S L A
J G I H J E A C R U E N B I L B
B H O U E E H A A H Z I A A Q H
Q V B K D R M I H C A A N H W H
E L E A Z A R I H E J H D C E Y
```

1st Century Life Solution

```
A U N L E A V E N E D B R E A D
G N I H T O L C L O O W S F E B
R N R S Y N A G O G U E S R V Y
A O I T R G R R J I J X U C L X
R A H H N Z A U F V G T J S E Y
I U Q L S K X A H J C E H Y Z G
A B D O L I M G K U B U E H A Z
N F G B W I F Z R R E B N I X A
S X Y M Y P T T H Q C H H X W G
O K Z L Z Q S D R A Y E N I V J
C T I M P L M F R G M E Q T Y T
I F T G A B R E A D M A K I N G
E N N B I Y M B W R Y S Y J F Q
T P I R F K E P K K L T V J H D
Y R Y O U N G M A R R I A G E S
T L I N E N C L O T H I N G A I
```

Messianic Prophecies Solution

```
Z B Y T H Z W S Z F A M W G D S
H O C F I J O P N F Q Z C O E K
H R D L Y N U Q W M R W G N Y H
E N X J O X L Z G U O F C M N G
C O B F F U D I F T O Z V P W R
W F M U C V B A U N A K O G A T
F A A S D H E R O T I P H V N P
N V L E W K P S B E M D O A C R
H I R F N D I W K U U C N B Z A
B R E A C F E X B G N E A P W G
Q G V G L Z R P N H V A E J Y M
P I O E U I C N U O F T Q D U J
Y N S Z O D E T C E R R U S E R
B H S O R S D W J H N Q Z U E O
U Y A V S C E P P T H Y A F J C
Q M P L B N B Q Z F S Q R G D I
```

Isaiah 9:6 Solution

```
S S K G I V L G P N C B M C I E
O H H I Z D I O E C H V O S M V
N U O V Q R L V A C I T Z R D E
T A D E L Z S E C N L Z X E N R
X J M N I S B R E Y D R F D T L
F P E E K S Y N O S C B Z L K A
B B Z F B M J M T L Z W P U P S
L U Z F K C S E N T E S Q O Z T
U L S W A P D N U T B S E H J I
F X S L C R Y T H G I M N S X N
R A L V Y I D G F R F R I U E G
E E T Q V N E E I G O I H U O B
D P G H J C X R P S V N R D W C
N R B K E E L P H N A L I C N G
O I P P S R Y U P L I W F R U I
W O C N V V M T E C U W R H U G
```

Micah 5:2 Solution

```
V R S C O M E O W H F Z N V I F
A C K P N R E I A Y M V P M S V
C R H Q A D U H O I D A O D J T
L U F V V Y T L N N J Y C M N Z
T G N O M A D B E L U D L U C G
I E A S R F R O M R D T A O S W
M V F H W W B W M D A L N X E L
E G P A U N E I D E H B S U L Q
S E B E T H L E H E M Z E A R F
I X I Y N I W J A S G N M I Y A
T R Q X E Q S H A W P S N Y N S
O C M R I V K R O P J X F V O G
R N D N C O T K A S F X T C U N
U N R G N O T U J E E D G U V I
W G O Q A D W P S E L F Z D U O
C M C F I B V Z R X H T I V E G
```

Isaiah 7:14-15 Solution

```
X C U E M S T K L V M L S F M T
J L A Q Y N X H R A E B I W A V
U G H L I I Y N E U M Y G E Y S
U I D G L Z B S N R E E N E E W
C W R Q H P Y A K S E B D V N N
R I A E K M M C O N P F I T O A
V Z T G T M S O Y O O E O F H M
G I V E I T H H E V C W L R Q E
Z T R R G C U S A N M E S J E F
K Q G L M O U B O L S B V A F N
Q I I H V F O C V M L M D O G R
S V J Z E I M D I G P B L L W W
E Q Y R L R X H G J D A O O B U
T U G Q P G A V M F K Z H U R Z
F C E A W A J D J X R X E Q X D
P C L G Q Y Q F C V R I B A Q K
```

Christmas Pageant Solution

```
B Q N K C H G G Y G G N P M J X
L A T J I W N Q K W E S E A N M
H C B W M A I K O R C D R R M I
H O B Y U B G Q D A I W F Y K H
F R M A J O N L U N T C O A G U
R L X L R E I E N I C E R N F I
F V F P M H S O R M A D M D W P
D E H H C A N U U A R A A J C O
L L H C V U N N S L P C N O O J
T P W R S P R G C S B X C S S P
S K A U F T N O E P Y Q E E T Y
Z G X H K I F T F R J K V P U D
M L Y C U K H Y A D J Y B H M Q
N A T I V I T Y S C E N E N E G
S S U N D A Y S C H O O L T S H
E O M L T J Z H G L J W O E X G
```

Luke 1:26-33 Solution

```
C O N S I D E R E D E R W C H E
N W I N G I N S U S E J J I V R
S A M H R A M E N V L C G I P E
H A M T E R T I E J I H G L M J
W A L E A F S R M T L G E C A O
O C V U T A O N O Y A D N J R I
M E A I T F M A W B G R A O Y C
B L E G N A Q I R E H C M X M E
S I X T H G T I D T O H I G H A
H O U S E X E I R B L E S S E D
G R E A T L Y I O C A L L E D D
N V N K D L B D L N F A V O R A
A C O N C E I V E J O S E P H V
M C R E G D T R O U B L E D R I
E V H S H A L L S A Y I N G K D
D N T R E I G N F A V O R E D S
```

Luke 1:34-38 Solution

```
S F O W W C S Q F Y Y T D A R C
P P E R O F E R E H T L U G E O
O L I Y R Z E Y I B O U O E L N
W W B R D W I M B H S W K H A C
E N E A I P N U E O O A U I T E
R G H M L T G B N D R F X Z I I
S N O A D E L L A C L N J S V V
I I L J H G B H O J O Y O P E E
X D D T F G S D B W R A L S O D
T R N O T R E A V D D X E W T R
H O E L E L R E L I Z A B E T H
M C M V L R E L B I S S O P M I
D C O A E D Q G A N S W E R E D
O A C N O T H I N G S P O K E N
N T W H H T L T N A V R E S O W
E L Z O Q R V I R G I N O V I D
```

Luke 2:1-7 Solution

```
S W W B R N D R F D J I Y P D T
G O H F N P Q W Y A Z V E A C H
C R I I C B R F E X M P V G L O
S L L Q A A S I N N D I N S O S
H D E I P A U R O A D I L G T E
P T R P H M T S Y S D O A Y H E
E Y E O S A S T R E U L L T M N
S D J R Y R U Q E V I P T I A R
O H D U A Y G F V L R J R C R O
J R F C D Z U H E E S U O H R L
D Q N A W E A E G S H A U C I L
C A E S A R A N N M I R G D E M
R R V K U L A Y I E M D H L D E
J O B K A N M T E H B A N D S N
Y O J V T N R O B T S R I F P T
E M B I R T H D E C R E E Z A V
```

Luke 2:8 -4 Solution

```
C Q R N H S T Y U Y S H O N E P
B P R T P S R M C A O Y D X Y R
W O O I E T A R N D R A W O T A
B L R H N S F A P O N S S V E I
C T G U G I R H L T F H A S C S
S I O A I R A G G E S I T M A I
H C L X S H I U O R K A E O E N
S T O O D C D O O R Y K Y L P G
M D L O H E B R D I E C C I D R
E C K C O L F T N F R A W U N M
N Z T B A B Y G P I A Y R O L G
F A F E E D I N G E G N E T A N
W W R A P P E D N D O Q G E H E
T Y K E E P I N G Q O H Y E M W
P N S U D D E N L Y D O T F L S
O L N I G H T S B N J L Y I N G
```

Luke 2:15-20 Solution

```
H S D R E H P E H S Q K W D W S
R A X P P Y Y A W E N T R O L C
B T P E K L S E S O Y A N E E S
G A S P E T G T E X E D I Q M X
C O B D E N W K G H E G N K A T
J H I Y I N C G N R N X F U C Q
C W Y D R A E H E I O B Y G O O
L D E L M M C D Y K N O W N C F
N E K O P S B A R A N G E L S N
F N L R S D S N A T T U D R E T
Z R Y D M A R Y M H O Y O K N H
M U I H E A R T L I L H O E I I
W T N C H I L D E N D P P G M N
Y E G T R O U G H G S W I E C G
Y R B B L Q G N I S I A R P K I
A N O T H E R P O N D E R I N G
```

Luke 2:25-33 Solution

```
S E R V A N T M H Z T E C J R B
M J E D G D S A O S R E A E I G
R E H E L E I S L H M X M R G I
A S T V O A R T Y G V I E U H H
C U O O R T H E P E A C E S T B
B S M U Y H C R C H I L D A E E
I L S T L O R D S S P H X L O H
S F E M A R V E L I N G K E U O
R J L S G N I H T U B J V M S L
A W P M S B D Q S N O E M I S D
E O O Q U E S I N I B H F Q D P
L R E G N I D R O C C A S O U L
O D P A N D E V I E C E R V R F
B R O U G H T R T H G I L J E E
N G H K N O I T A L O S N O C T
T E M P L E S T N E R A P S U I
```

Luke 2:36-40 Solution

```
Q G W V Q F S A D G U P O N N T
C Z A O I V S S E N R G G W A R
H V C L R D D H P I E E D F Z I
K R L N I S L E A M O M A F A B
S E V E N L H R R O Q S N T R E
D T M G O L E I T C T A N W E J
E H I R H Y K E P I E Y A I T V
V G D A H V O G N I W O R G H E
I U C C F I P G G O N K W L R R
L A M E L A S U R E J G I O E Y
R D N S T R O N G E Z T S O T T
W O D I W G Z H L X I J D K U I
G K R G G L C P O R I L O I R C
C H I L D H M B I U Q N M N N U
Y E A R S E T P N E R A P S V I
R E V W T I S P H A N U E L D A
```

Matthew 1:18-21 Solution

```
S A Y I N G R A S B I R T H C Y
W I L L I N G B U P D N U O F F
S A V E M A C O O A I E F I W M
U T A W A Y H U E F V R E T F A
S B H H H C L T T R A O I P P E
E P Q O I P C U H A D F C T R R
J Y L H U I Z D G I F E P U E D
U Y W D L G M A I D M B S C G M
J X M B D W H Y R A M W B X N T
Z O U O L I P T C H R I S T A I
S P S L T A P P E A R E D A N I
X I A E C H E X A M P L E P T N
X H N E P D E V I E C N O C U G
S R B S N H T R I B A N G E L S
D U D B E H O L D P E O P L E Z
H U S B A N D E G A G N E M A N
```

Matthew 1:22-25 Solution

```
B I R T H P P G V L C S T V V H
H D S F L E S M I H U I U O T Q
A S G A E N S E H S N L M I O C
P X H L Y U R G E T D E W D A K
P W S A N I T J E C S U S L F J
E O I A L E N R Q O V N L O R D
N Q M F H L P G R C I A E H F E
E E Q P E R I A B H R M G E D D
D A O S E V N N N I G M N B L N
O R S T E N Z N E L I I A Y Y A
P Q E N H X J O A D N A H P U M
U D G D M R M W U N T I L O T M
P B E I N G O C O F B I R T H O
F Y D D P D N U S P O K E N G C
S E X U A L L Y G A B U A I I B
F I R S T B O R N H G I V E M E
```

Matthew 2:1-6 Solution

```
T R O U B L E D K I Z P V Y L X
C B O K F B O V J X M R Q R A M
B E T H L E H E M T U I S C T I
P H J H M T J G S L A E P J I S
O R Q U R N N A E N W S V E U S
A A O V D I E M C X F T Y S Z H
V M M P Y E J X N N G S E P T E
F G O A H C A Q I R R J U I W P
P N S N U E A U R D O R E H R H
B I W Z G M T B P E N B C I S R
L R E H T E G O T K R J H R T R
W E J P E O P L E S E Y I O T D
E H A N Q Y O C X A V V E W E K
B T N S E B I R C S O U F N N Y
Q A S V T S I R H C G B U K P X
S G G B D F T N K E O D X I W G
```

Matthew 2:7-12 Solution

```
O T W S Q O G D O Q C B U T G D
P I E E S U O H Z F E O N M E V
E R N R K O D N U O F E M P L G
N E T U T X R P Y B S E I E N E
I J Z S O U W C I H E H R U H X
N O O A T A E R G C S I O E Z A
G I Y E V C N Q R R M Y N B D C
B C R R T R N A O A H Z K G R T
E E T T Z B T W E E A A X I A L
H D N Q E S F R O S M L V W E Y
O A U F X R D R U D W O S I H L
L Z O A P P E A R E D D T O N S
D R C W A R N E D L O G V H T G
E X C E E D I N G L Y X V F E R
M Y R R H D E N R A E L I S R R
I B R I N G G S Q C F G N U O Y
```

Matthew 2:13-16 Solution

```
Y S B O V T O Z Y D U N T I L P
O E H E H S N R D E T R A P E D
U E S G T F L E E L A M A E R D
N K I H P H S A M L X R L L E Y
G M Y K Y K L H C A K R S X F G
W I S E G L M E D C V I C X P M
C H R P E D L I H C O E L R J D
A N G R Y E A I L E E R O L E M
U P Z R G Q L E D D M P D K E R
T G R N S D A S I E H A C I E D
C I A W R R R N P E S O R H N M
A B M E N I G H T O M T T I L G
X C N E O L K L J S K O R I S X
E Q D H Y D E A T H M E T O N E
C O U N T R Y S I D E N N D Y D
H E R O D G N I D N U O R R U S
```

Matthew 2:19-23 Solution

```
N D L O H E B L Q S Q D T I J O
L O X O F J W D A F A H D S U W
D R E A M U S E X N G H J R G L
H E A R D D A A R U D O Y A X E
P H C L W E Y D O D S F N E R R
M L Y A U A I S J E H G W L E V
I Z A Y L P N P P L E T Q G E P
G K S C O L G H N L M X I S A E
H Y A G E U E A A I I O I W K V
T S R N D R N D Z F N R C A M E
G A L I L E E G A L A E V J T Q
L L G N I F K U R U X H S G Y E
S I K G H I O F E F K T P Y G E
N E V I C L P H T D I A R F A N
P T O E Y T S F H L W F W G C C
S F Z R D E N R A W M O T H E R
```

O Holy Night Solution

```
R T F M H N H O L Y W F D L G V
E E H R D O I T Q I E A E O L O
D L J R I I P G S J A I A W O I
N D L O I E V E H Y R T R L R C
O A S O I L N I B T Y H D Y I E
Y R W S W C L D N K N E E S O S
S C E P V L E M P E D P E J U G
H H E J A A Y S O R I E N T S H
I E T S T R A N G E R G B G M T
N A L U O S K I N G S G N O S E
I R Y L T H G I R B N I H I R G
N T D L R O W N R O M T R R S N
G S L W O R L D L A R H O C T I
N A T R I A L S E O C R K K A N
F M A N G E R L W A N G E L N I
B E H O L D G S A V I O R S D P
```

Silent Night Solution

```
T Y S N D P H J J E S U S R U N
H D N H R A F A B S T H A A R G
G A Y L O H W Q I F S D O O H R
I N Y Y L O H N U B I I B L F A
R O U N D B G G C A I Z L A Y C
B E A M S M Z S N A K R C E S E
H N L T A A J T A N L E T D N T
L G I E R U P T B V Y M R H S T
U M R C M O K T R L I E D I T C
J T N A F N I E N L H O R K S H
S H J E V T D V Z P C H R H O I
J G I P H N A N E W C P R E H L
H I Y G E E M H L O V E S A L D
Z L I T H E S I N I G H T V N I
K S M O T H E R L P B P E E L S
R E D E E M I N G D B S Z N Y G
```

Gifts of the Magi Solution

```
C J H J V W Q T X B Q N D D A R
A O V K B C D J H F J W R L X Y
T U L A T E M S U O I C E R P G
F G C C W O B L T E O R D C C F
G R C O S T L Y U M U D F A E R
O M A J V K O L M S Z Z F X X A
L B P N N T A O A C L E P S T G
D J W T K V D E O Y R E H I P R
Q J A H H I R E B E N W E C I A
B N F G T N U H S B E A G H N S
B H I Y J I Y C I L O B M Y S T
K H J U I G X V E K E D F J R Q
E M Y R R H E Q X N O J X X O I
C E O O P S K X L G S B H B W B
X V H V Q G R X J A L E R W O D
S S K L Z V F U F S N N N S X D
```

Christmas Traditions Solution

```
F A M I L Y G A T H E R I N G W
C H U R C H S E R V I C E D R O
B Y R Q U Q W S Y D S B B Y U J
B A U W A S J M D K S D S Q E T
T Y K I E S O Y P D S T V W G U
T R P I S I N G I N G H Y M N S
K Y I E N E C S Y T I V I T A N
R E J M X G X A D N Z E M O H G
C M D B M E E J X A I J V T C X
B C E W P I S N A E T M O G X W
A I B S K M N B X G Q H S U E P
P G N P H I P G Z A V X Y D T O
T B F I A P U H T P E A V Q F Z
J S A L V M B A D R G N E E I F
Q X E K C P V S Z R E I G D G Z
H K F R Z I Z X Y K C E M B O P
```

Celebrating Christ Solution

```
A C T S O F S E R V I C E V G R
Z Y A A G V S C E Q X K S I I E
D H B V N F E I Y T P K U S V A
C H A R I T Y V A V C M M I N D
C J F G V M L R R B M L A T G S
A S E K I Z L E P E B S G I N C
R D O T G E M S J D Q A L N I R
O S E I T K X H M N Q P L G I P
L D I M F I G C S G J Q U N T T
I F I N I L J R B O Y X T E H U
N F T X G J U U B A G S H E E R
G H Y L U H O H Q P U V I D S E
A X C S I K Y C S A V G V Y Y E
O T K W O U R M G F L O B J W T
N W T M U C P S N H Q E B J J A
L M M I J R J S C S U D P C P J
```

The Puzzle Favorites Club

Free Printable Puzzles

Coupons

Sneak Peeks

...and More!

Sign up now at...

www.PuzzleFavorites.com

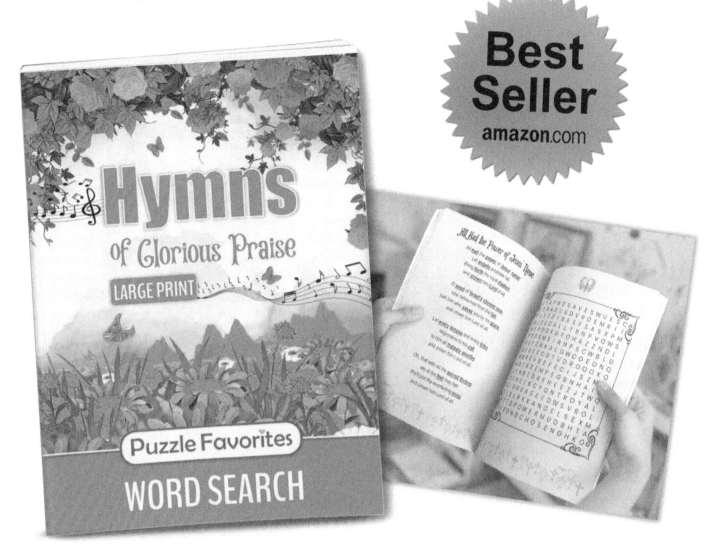

ISBN: 978-1947676381
Amazon: 1947676385

Puzzle Favorites

www.PuzzleFavorites.com

ABOUT

Michelle Brubaker is the creator of
"Goodness of God Bible Word Search."

As an avid Bible puzzle fan, she also
created an entire product line of activity
books enjoyed by puzzle enthusiasts
around the world.

Please take a quick moment to review
this book on Amazon.com and show
your support for independent
publishers!

Learn How to Publish Your Own Puzzle and Activity Books!

Introducing.... Self-Publishing Courses by Michelle Brubaker the creator and
founder of Puzzle Favorites.

➡ Learn more at: www.MichelleBrubaker.com/publishing-courses

    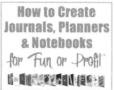 

Made in the USA
Middletown, DE
29 November 2022

16376704R00051